D0893099

Nous remercions le ministère du Patrimoine canadien,
la SODEC et le Conseil des Arts du Canada
de l'aide accordée à notre programme de publication

ainsi que le Gouvernement du Québec
– Programme de crédit d'impôt
pour l'édition de livres
– Gestion SODEC.

Illustration de la couverture
et illustrations intérieures :
Élisabeth Eudes-Pascal

Édition électronique :
Infographie DN

Dépôt légal : 3ᵉ trimestre 2002
Bibliothèque nationale du Canada
Bibliothèque nationale du Québec

123456789 IML 098765432

LA FILLE DU ROI JANVIER

DE LA MÊME AUTEURE
AUX ÉDITIONS PIERRE TISSEYRE

Collection Coccinelle

De l'Ange au Zèbre, album, avec des illustrations
de Béatrice Leclercq, 1991.

Collection Papillon

« La *Benfinita* de grand-père Giacomo », conte du
collectif de l'AEQJ, *Les contes du calendrier,* 1999.

Collection Conquêtes

Châteaux de sable, roman, 1988.
« Élodie », nouvelle du collectif de l'AEQJ,
Entre voisins, 1997.
« La brioche à la confiture », nouvelle du collectif
de l'AEQJ, *Peurs sauvages,* 1998.
« Cinq poules au dortoir », nouvelle du collectif de
l'AEQJ, *Petites malices et grosses bêtises,* 2001.

Données de catalogage avant publication (Canada)

Gagnon, Cécile, (1938-   )

    La fille du roi Janvier

    (Collection Sésame ; 43)
    Pour enfants de 7 à 8 ans.

    ISBN 2-89051-814-0

    I. Titre II. Collection.

PS8513.A345F54 2002   jC843'.54   C2002-941030-4
PS9513.A345F54 2002
PZ23.G33Fi 2002

Cécile Gagnon

LA FILLE
du roi Janvier

conte

ÉDITIONS
PIERRE TISSEYRE

5757, rue Cypihot, Saint-Laurent (Québec) H4S 1R3
Téléphone: (514) 334-2690 – Télécopieur: (514) 334-8395
Courriel: ed.tisseyre@erpi.com

E×4

Quand il neige sur mon pays,
C'est que tout le ciel se disperse
Sur la montagne et les toits gris
Qu'il revêt de sa claire averse,
Ou qu'une avalanche de lis
De sa pureté nous inonde…
C'est le plus beau pays du monde
Quand il neige sur mon pays!

Albert Lozeau, 1907

UN PALAIS
DE GLACE

Dans ce pays de froidure et de neige qui est le nôtre, on raconte qu'au début des temps, tout n'était que forêts immenses et étendues sauvages où seules vivaient des bêtes dans la plus grande liberté. Cela était inexact, bien sûr. Il y a des milliers d'années, s'il y a eu des forêts, des lacs, des montagnes et des rivières, s'il est vrai que les cités et les villages étaient rares, des royaumes secrets existaient; ils étaient peuplés d'êtres magiques qui régissaient la vie courante et les saisons. Ces êtres logeaient au fond des eaux ou au sommet des plus hautes montagnes.

Sur l'une d'elles coiffée de neiges éternelles, il y avait un royaume tout blanc, d'une blancheur aveuglante tant brillaient les glaçons et les rochers recouverts de frimas. Ce royaume était totalement inaccessible aux humains et aux animaux. C'était là que vivait le roi Janvier. Son palais de glace étincelait au soleil. De vastes pièces aux planchers rutilants reflétaient de grands lustres de cristal; des fenêtres sans carreaux laissaient circuler les vents et les bourrasques qui venaient souvent en visite. Il régnait dans ce domaine un silence glacial que seuls animaient les sifflements des vents. De temps en temps, aussi, on entendait une voix qui chantait, une voix toute jeune et gaie. Mais la plupart du temps, rien ne semblait bouger.

C'était pourtant dans ce palais somptueux que le roi Janvier préparait la neige, selon une recette qu'il avait mise au point et que lui seul connaissait.

Le roi Janvier avait une fille, Neigeline. C'était elle qui transformait en flocons cette substance que fabriquait son père, s'inspirant pour leur donner forme des étoiles et de certaines fleurs des montagnes qui poussaient quelquefois dans les fentes des rochers.

Elle empilait les flocons dans un seau d'argent. Lorsqu'il était rempli,

Neigeline le renversait aux quatre points cardinaux de la grande terrasse du château. Elle allait ainsi, joyeuse de se gaver d'air glacé, et ensuite, elle recommençait.

Et ainsi la neige tombait du ciel et recouvrait le monde.

Neigeline était belle. D'une beauté diaphane comme les elfes qui, dit-on, peuplent sans se faire voir les forêts du nord. Ses longs cheveux plus blancs que blonds semblaient puiser leur texture à l'étoile polaire. Ses yeux étaient d'un bleu clair et transparent comme le sont les glaçons. Son visage et ses mains avaient la teinte nacrée de la neige fraîchement tombée.

Plus elle grandissait, plus elle souffrait de sa solitude. Son père, le roi, avait été un bon compagnon, mais il ne lui parlait plus guère. Personne n'entrait jamais dans le

royaume secret du roi et elle avait toujours plus soif de compagnie, d'amitié et de quelque chose qui comblerait ses désirs cachés. Certains soirs, le roi Janvier s'arrêtait de travailler ; quand la nuit était calme et le ciel plein d'étoiles, il s'en allait dormir dans son grand lit de plumes d'oies sauvages. Et il ronflait ! Il ronflait pendant des jours, laissant traîner sa longue barbe blanche sur le plancher. Neigeline s'ennuyait toute seule, les coudes appuyés à la longue balustrade de glace de sa terrasse. Par beau temps, elle fixait l'horizon lointain et elle rêvait en voyant passer les oiseaux migrateurs dans le ciel.

2

UN JOUR,
UNE HIRONDELLE

Un jour, une hirondelle blessée, en route vers les terres du soleil, tomba aux pieds de Neigeline. La jeune fille fit tout ce qu'elle put pour la sauver, pansant son aile meurtrie, la réconfortant de son mieux.

— Ah! couvre-moi, je gèle! implora l'oiseau. Fais du feu, réchauffe-moi.

— Du feu! s'étonna Neigeline. Ici, ça n'existe pas.

— Quel malheur d'être tombée dans ce pays glacé! gémit l'oiseau.

Au bout de quelques jours, dépérissant de plus en plus, elle se mit à raconter ses nombreux voyages et à décrire les lieux qu'elle avait survolés.

— J'allais vers le printemps retrouver les arbres en fleurs…vers les prés verts et mes amis, les lutins des grandes forêts.

Neigeline n'en croyait pas ses oreilles. Les paroles de l'hirondelle: la mer, les fleurs, les arbres, le printemps, l'herbe, le parfum des roses, les papillons… firent naître de persistantes images dans sa tête.

Elle tenta de réchauffer, de réconforter le petit oiseau, mais ce fut en vain. Dans ses derniers moments d'agonie, l'oiseau débitait des mots sans suite, comme s'il n'avait voulu emporter avec lui que ses plus grandes joies et le souvenir de ses amis les plus chers. Neigeline enterra le petit être sous la neige et se remit au travail en soupirant. Mais les paroles entendues avaient fait leur chemin en elle et elle se mit à rêver aux terres jamais vues, aux odeurs jamais senties, aux plantes jamais touchées.

Et une nuit, elle décida de partir. Elle enjamba la barbe blanche de son père endormi, remplit son seau de flocons, fit ses adieux aux rochers et à la neige et prit un sentier minuscule qui descendait franc sud, vers la vallée. Bientôt, elle arriva au pays des lutins parmi les épinettes noires et les mélèzes, droits et fiers. La voyant venir, légère et quasi phosphorescente

dans l'ombre du sous-bois, les lutins interrompirent aussitôt leur ronde et grimpèrent à califourchon sur les branches pour la regarder passer en silence. Car ils étaient d'une méfiance extrême vis-à-vis de tous ceux qui s'aventuraient dans leur forêt, qu'ils soient des hommes ou des bêtes. Quand on est tout petit comme un lutin, il faut se méfier, non? Ils l'entourèrent et se mirent en frais de la retenir :

Neigeline! Neigeline!
Où vas-tu donc avec si belle mine?
Neigeline, viens danser avec nous!
Neigeline, viens vivre chez nous!

Les lutins essayèrent de ralentir son pas en lui prenant les chevilles et en entravant ses pieds dans les fougères rousses et le lierre abondant. Neigeline souriait mais restait sourde aux appels chaleureux de ces petits êtres. Elle trouvait la forêt trop sombre pour s'y arrêter. Elle voulait découvrir autre chose et elle savait qu'il lui fallait marcher encore.

Comme ils insistaient beaucoup, elle plongea la main dans le seau d'argent qu'elle portait et lança une poignée de flocons autour d'elle. Transis et grelottants, les lutins s'éloignèrent à regret et la laissèrent poursuivre son chemin, silencieuse et diaphane, à l'image des fées qui, semblait-il, avaient déserté les lieux.

3

VERS
AILLEURS

Enfin, elle arriva au fond de la vallée et se dirigea vers une allée plus large, bordée d'herbe verte et fraîche. L'air s'était beaucoup adouci. Au lieu d'apprécier ce changement, Neigeline se sentait mal. C'est que le froid lui manquait. En fait, Neigeline avait beaucoup de mal à respirer,

car ses poumons ne supportait pas l'air chaud et humide. Elle était née pour le froid. Alors, elle plongea la main dans le seau et s'aspergea de flocons blancs. Autour d'elle, l'air se refroidit instantanément ; elle retrouva des forces et s'empressa de prendre de larges respirations et d'aller de l'avant.

Rapidement, elle franchit une grande distance. Son pas léger et aérien, foulait des herbes inconnues, des cailloux aux mille couleurs. Son regard étonné allait des buissons fleuris aux feuilles luisantes de rosée s'agitant au bout des branches. Soudain, à la croisée de deux chemins, le sol devint plat. Les herbes se raréfièrent. Avançant toujours, elle se retrouva devant un spectacle si étrange qu'elle dut s'asseoir par terre tellement ses jambes tremblaient. Devant elle, une étendue bleue sans fin, comme un autre ciel volé à la voûte céleste, miroitait dans la lumière du jour. Malgré des soubresauts qu'une main invisible faisait naître, l'étendue bleue demeurait en place là où elle était posée. Neigeline resta longtemps sans bouger, assise sur le sable doux, le cœur battant, les yeux largement ouverts. Puis, rassasiée, la jeune fille poursuivit son chemin, gardant intacte au fond de son cœur cette brûlante sensation d'émerveillement.

Autour d'elle, le paysage se modifiait subtilement. Elle se mit à remarquer des violettes, des pissenlits, des primevères, des marguerites, des trilles, des jonquilles, des fleurs de pommiers, de lilas et de seringas. Il y en avait partout. Les fleurs piquetaient les haies, se répandaient le long des sentiers, entouraient les arbres, se déversant comme un fleuve de pétales colorés. De la mer jusqu'aux collines, leurs parfums se propageaient dans l'air. Et on voyait émerger des buissons verts, d'énormes chênes aux branches basses, des tilleuls, des érables altiers, des bouleaux à la robe blanche et des pins majestueux touchant le ciel. Leurs feuilles et leurs aiguilles luisaient.

Neigeline était si enchantée par tout ce qu'elle voyait qu'elle oubliait de s'entourer de flocons de neige. Aussi perdait-elle vite le souffle. Alors, à toute vitesse, elle prenait une poignée de flocons dans son seau et la lançait autour d'elle. L'air glacé faisait son œuvre et elle se rétablissait sans tarder.

Les fleurs, les plantes, les arbres, des plus petits aux plus grands, même les champignons du printemps étaient à leur tour saisis de surprise et d'émerveillement en voyant évoluer autour d'eux cette jolie fille transparente accompagnée d'un nuage de frimas qui les faisait frissonner. Les chênes, les pins et les érables l'interpellèrent en chœur :

Où vas-tu, Neigeline,
Si légère, si blanche ?
Viens donc te reposer
À l'ombre de nos branches.

Mais Neigeline n'était pas au terme de son voyage.

4

CLÉMENT DE MAI

Tout à coup, un beau jeune homme vêtu d'un grand manteau de soie verte et coiffé d'un chapeau violet apparut devant elle.

— Holà! Qui es-tu? demanda-t-il.

— Je suis Neigeline, la fille du roi Janvier, répondit-elle.

— Ne sais-tu pas, ma jolie, que tu es entrée dans un autre royaume que celui de ton père? Je suis le prince Clément de Mai et tu es ici chez moi. Tu n'as pas le droit de traverser mes terres. Retourne dans ton royaume des glaces, cela vaudra mieux pour toi et pour moi, ajouta le jeune homme gentiment.

Neigeline s'arrêta. Elle regarda Clément de Mai dans les yeux. Son regard était si triste et si suppliant que le jeune homme en fut bouleversé.

— Clément de Mai, je t'en prie, laisse-moi poursuivre ma route, dit-elle. Je ne resterai pas longtemps dans ton royaume. Je ne désire qu'une chose: sentir et toucher de mes mains ces flocons roses, jaunes, violets, rouges que vous appelez des fleurs et tremper mes doigts dans ce ciel retourné que vous appelez la mer.

Clément de Mai la regarda et lui sourit. Il était ému. La beauté de la jeune fille et sa curiosité ardente l'avaient touché. Il lui dit :

— Viens, alors. Je te ferai visiter moi-même mes terres.

Neigeline regarda ce guide inattendu et son cœur se mit à battre. Tout lui plaisait en lui : son visage, ses gestes, sa voix. Elle finit par répondre d'une voix tremblante :

— Je veux bien.

Main dans la main, Neigeline et Clément de Mai marchèrent ensemble. Ils grimpèrent des collines, descendirent des coteaux, suivirent des chemins bordés de buissons fleuris et de vignes et traversèrent des prairies et des champs ; partout retentissait le chant des oiseaux et le bourdonnement des insectes.

Neigeline tournait la tête dans tous les sens, s'arrêtait pour humer

les odeurs, tendait les bras vers les
hirondelles qui lui rappelaient sa
messagère. La présence du garçon
à ses côtés, sa voix mélodieuse, les
beautés qu'il lui faisait découvrir,
la mirent dans un tel était de ravis-
sement qu'elle oublia son souffle
de plus en plus haletant.

À les voir passer, tous les deux, on devinait qu'ils étaient amoureux, car on aurait dit que le bonheur accompagnait chacun de leurs pas.

5

DES FLEURS
EN DANGER

Mais, voilà que partout où s'avançait Neigeline, le bleu du ciel devenait gris et un tourbillon de flocons de neige recouvrait subitement les plantes et les fleurs des jardins. Les deux promeneurs arrivèrent en vue d'un village tout entouré de vergers magnifiques et de vignes. Sous les

pommiers en fleurs, les vignerons
et les paysans dansaient au son de
la musique pour fêter le mois de la
floraison.

— Fais-moi danser, Clément de
Mai, dit Neigeline.

Le prince l'entraîna dans la danse
mais, aussitôt, la musique cessa.
Les danseurs s'éloignèrent en gre-
lottant, car l'air avait soudain perdu
sa douceur et était devenu glacial.

Du ciel devenu gris, de gros flocons de neige se mirent à tomber qui pouvaient presque se confondre avec les délicates fleurs des pommiers. Les paysans se mirent à crier et à s'interpeller :

— Il faut faire des feux ! Venez vite…

— Protégeons nos vignes.

Les pomiculteurs et les vignerons, comprenant que les nouveaux venus apportaient avec eux le gel et la froidure, les chassèrent rudement. Neigeline et Clément de Mai durent s'éloigner à regret. Dès qu'il furent assez loin du verger, le ciel retrouva sa sérénité. La musique reprit et les festivités battirent leur plein à nouveau.

Clément de Mai s'enfonça dans un sous-bois quelques moments. Il revint près de Neigeline avec un bouquet de muguet qu'il lui offrit en disant :

— Neigeline ! dit-il, je veux t'épouser.

Neigeline sourit et dit tristement :

— Que penseront tes sujets d'une princesse qui apporte la froidure ?

— Qu'importe ! répliqua Clément de Mai. C'est ma volonté.

Les fleurs que Neigeline tenaient sur son cœur se fanèrent et leurs petites clochettes baissèrent la tête. Neigeline dut les jeter au loin en soupirant, ne gardant entre ses doigts qu'un seul brin qui semblait avoir mieux résisté au froid que les autres.

— Tu t'adapteras, dit Clément de Mai avec confiance.

Mais Neigeline savait bien qu'elle ne survivrait pas. Elle fit mine de réfléchir. **Les deux** amoureux continuèrent donc de marcher côte à côte, pleins d'amour et d'ardeur. À un moment donné, Neigeline dut s'arrêter. Elle était devenue plus pâle et plus essoufflée que jamais.

— Clément de Mai! Je n'ai plus de neige, s'écria-t-elle d'une voix altérée par l'angoisse.

De ses doigts agiles, elle tenta de récupérer quelques flocons au fond de son seau d'argent, mais il était vide.

— Clément de Mai! À l'aide, je me sens faiblir! Clément de Mai! Ramène-moi à la frontière de ton royaume. Je ne peux plus respirer…

Soudain, elle se recroquevilla. Elle avait l'air de se dissoudre dans l'air comme les gouttes d'eau lorsqu'elles s'évaporent. Affolé, Clément de Mai tenta de la soutenir. Il la prit dans ses bras et se mit à courir avec son fardeau vers les collines. Il criait :

— Neigeline ! Neigeline ! Reste avec moi...

Mais Neigeline ne lui répondit pas. Elle devenait de plus en plus légère et transparente. Ses yeux, grands ouverts, semblaient translucides ; on aurait dit des bulles de savon iridescentes prêtes à éclater. Le cœur en émoi, Clément de Mai se désolait, répétant à chaque pas :

— Neigeline ! Réponds-moi... ne me quitte pas ainsi.

Le jeune homme ôta son large manteau de soie et en recouvrit Neigeline pour la mettre à l'abri des rayons du soleil. Courant le plus vite qu'il pouvait, il finit par atteindre le fond de la vallée et le pied des montagnes enneigées. Tout en avançant il avait pris une décision. Sans plus tarder, il allait faire appel

à l'un de ses anciens professeurs, le vieux vent Tramontano, pour que celui-ci vienne à son secours. C'était un vent puissant qui savait user de magie quand il fallait. Plus d'une fois, il lui était venu en aide.

Il se mit à crier :

— Tramontano ! Tramontano. Viens chercher Neigeline ! Ramène-la à son père, Tramontano ! Fais vite…

Clément de Mai souleva en tremblant le manteau qui recouvrait Neigeline et fut saisi de stupeur. Il n'y avait plus rien dans ses bras. Rien. Neigeline avait disparu.

Il regarda autour de lui. Où était-elle ? Avait-il perdu sa belle en chemin ?

Ivre de désespoir, il leva les bras au ciel implorant les nuées de soulager sa peine. Tout à coup, son regard s'illumina.

De l'autre côté de la vallée, là où la plaine cède la place aux escarpements et où se dressent les grands sapins, il vit Neigeline. Elle le saluait de la main en signe d'adieu. Un adieu accompagné d'un grand sourire triste. Devant elle, le vieux maître Tramontano, l'entraînait énergiquement vers les sentiers enneigés, vers les glaces éternelles, tout là-haut dans le royaume inaccessible de son père, le roi Janvier.

6

LE RETOUR
DE NEIGELINE

Si on vous affirme aujourd'hui que la neige qui tombe en hiver sur notre pays n'est qu'un effet du refroidissement de l'atmosphère dû au passage des saisons, libre à vous de croire cette explication. Le royaume du roi Janvier demeure toujours inaccessible, et le maître est toujours fidèle au poste. À preuve, la neige que la douce Neigeline continue de distribuer sans parcimonie aux quatre coins du pays.

Mais ce que les habitants du pays ignorent – et je vous prie de garder pour vous ce secret –, c'est que le roi, se faisant très, très vieux, s'est accordé un répit dans sa vie consacrée au travail. Il a décidé de prendre chaque année quatre semaines de congé. On ne sait jamais précisément quel mois, quelle semaine il s'arrêtera, car il fixe son choix sans consulter personne. Ce jour-là, il délaisse la fabrication de la neige et… il dort. Dans son grand lit de plumes, il laisse retentir ses ronflements qui emplissent l'air autour des cimes enneigées des environs.

Dès que Neigeline perçoit ce changement, elle descend à pas

feutrés, sans son seau d'argent, le sentier qui conduit au pays des lutins, dans le bois de sapins et de mélèzes. Depuis des années, durant cette courte saison où l'hiver n'est pas encore terminé – il va sans dire qu'il ne neige pas – et que le printemps se prépare, les lutins ont initié Neigeline à la musique, à la danse et même à la cueillette d'herbes odorantes. Les lutins de la forêt de mélèzes en ont fait la reine de leurs rituels et de leurs fêtes. Ils chantent pour elle :

Neigeline ! Neigeline !
Amie des glaces,
Reine du frimas
Tu as ici ta place,
Ne nous quitte pas !

Neigeline savoure ce séjour ; elle découvre toute une vie qu'elle ignorait. Elle apprivoise les renards, les loups et les ratons laveurs. Ces journées sont précieuses pour elle. Mais ce ne sont pas celles qu'elle apprécie le plus. En effet, quelques jours après son arrivée chez les lutins, Neigeline se poste au bout du sentier, d'où elle domine la vallée parsemée de prairies encore jaunes. À l'ombre fraîche des ramures, elle voit venir à sa rencontre le prince Clément de Mai. Leurs retrouvailles sont émouvantes. C'est ainsi que, veillés par les lutins, les deux amoureux vivent en paix et savourent chaque moment de leur plaisir d'être ensemble. Car il savent bien qu'il est inutile de songer à une vie commune tant sont inconciliables leurs natures profondes. Mais tant que Neigeline se sent à l'aise, ils ne se quittent pas. Cela dure le temps du congé du roi.

Bientôt, la neige se met à fondre et les ruisseaux se gonflent. Les

lutins courent du matin au soir pour recueillir la sève qui coule au cœur des érables. Ah! que Neigeline aime les aider dans cette tâche! Avec Clément de Mai, elle se gave des délicieuses sucreries que fabriquent les lutins. Puis, sans prévenir, l'air se radoucit et les bourgeons éclosent. Neigeline se met à avoir du mal à respirer, à étouffer. Elle sait alors que le temps est venu de repartir.

Ses adieux ne sont pas déchirants car elle sait qu'elle reviendra. Lançant des baisers du bout des doigts, Neigeline reprend le chemin du royaume des glaces. Elle se sent guidée par les oiseaux migrateurs volant par milliers au-dessus de sa tête. À mesure qu'elle progresse vers les sommets, sa respiration redevient normale. Elle n'est pas triste puisqu'elle garde en mémoire, à l'intérieur d'elle-même, le visage de Clément de Mai, le souvenir des bouquets d'odeurs, des ribambelles de couleurs et des colliers d'images qui vont l'aider à rêver jusqu'à son retour chez les lutins.

Si, un jour de printemps, en grimpant un sentier, vous rencontrez tout à coup un îlot de glace, un buisson qui tarde à bourgeonner ou une plaque de neige qui n'a pas encore fondu, n'en soyez pas surpris. Sans aucun doute, Neigeline est passée par là pour rentrer au royaume de son père, le roi Janvier.

TABLE DES MATIÈRES

Cécile Gagnon

Cécile Gagnon raffole des histoires qui parlent de pays imaginaires. Elle aime que ses lecteurs soient emportés ailleurs, grâce à des personnages possédant des pouvoirs magiques et des sentiments bien humains. Cécile Gagnon est convaincue que les mots sont faits pour raconter des histoires qui nous plongent dans le rêve et la fantaisie. Et rêver, pour elle, est non seulement une activité réjouissante, mais absolument essentielle.

SÉSAME

Collection Sésame